LES CATASTROPHES NATURELLES

POUR LES FAIRE CONNAITRE AUX ENFANTS

Auteur
Cathy FRANCO

Mise en page
Illustration
Jacques DAYAN

Collection créée et conçue par
Émilie BEAUMONT

ÉDITIONS
FLEURUS

ÉDITIONS FLEURUS, 15-27, rue Moussorgski 75018 PARIS

LES SÉISMES

Toutes les trente secondes, la terre tremble dans le monde. La plupart de ces secousses du sol, appelées séismes ou tremblements de terre, causent peu de dégâts. Mais, une ou deux fois par mois, un séisme violent a lieu quelque part sur notre planète. Toutefois, la gravité d'un tremblement de terre ne dépend pas uniquement de la violence de la secousse ! Un séisme de faible intensité peut avoir de terribles conséquences lorsqu'il est associé à certains facteurs : constructions fragiles, forte densité de population, sol meuble ou encore mauvaise organisation des secours après la catastrophe, ce qui augmente le nombre de victimes.

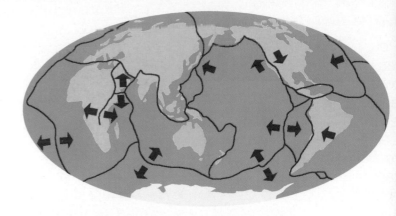

Pourquoi y a-t-il des séismes ?

L'écorce terrestre qui enveloppe notre planète est formée de gigantesques plaques, dites tectoniques, qui s'encastrent les unes dans les autres à la manière d'un puzzle. Elles bougent très lentement, animées par les mouvements du magma, une roche liquide située dans les profondeurs de la Terre. C'est à la limite de ces plaques que se produisent les tremblements de terre. Les plus violents ont lieu quand elles se percutent ou se coincent en coulissant.

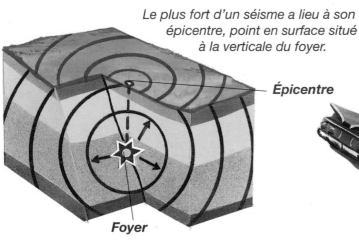

Le plus fort d'un séisme a lieu à son épicentre, point en surface situé à la verticale du foyer.

Épicentre

Foyer

Mécanisme d'un séisme

L'endroit où se produit la rupture dans la roche lors d'un séisme est appelé le foyer (ou hypocentre). Il est situé à plus ou moins grande profondeur. L'énergie libérée est si brutale qu'elle provoque des vibrations, appelées ondes sismiques. Elles se propagent parfois jusqu'en surface en cercles concentriques et peuvent couvrir une région très étendue.

Anchorage (Alaska), 1964, ci-dessus.

La secousse, d'une magnitude de 8,2 sur l'échelle de Richter, dura 4 min : un record dans l'histoire des séismes.

Kobe (Japon), 1995, ci-dessous.

Ce séisme, d'une magnitude de 7,2 sur l'échelle de Richter, est l'un des plus graves qu'ait connus le Japon ces vingt dernières années. Bilan : 5 500 morts.

Comment mesurer la force d'un séisme ?

Pour connaître l'intensité (ou magnitude) d'un séisme, les sismologues (spécialistes des tremblements de terre) utilisent des sismomètres. Ces appareils hyper-sensibles, placés en réseaux dans les zones à risque, enregistrent les moindres secousses du sol. Les vibrations émises sont automatiquement retranscrites sur une bande de papier fixée sur un tambour. Plus les vibrations sont fortes, plus la magnitude est élevée et plus le séisme est dévastateur. L'échelle de magnitude la plus connue est l'échelle de Richter, numérotée de 1 à 9. Chaque degré de plus multiplie par trente l'énergie libérée par les secousses.

Un sismomètre portable

Le relevé d'activité sismique est appelé un sismogramme.

L'échelle de Mercalli

On l'utilise pour mesurer l'ampleur des dégâts causés par un séisme, et non son intensité. Elle comprend 12 degrés.

Des effets dévastateurs

C'est dans les villes que les séismes sont les plus redoutables. Souvent, la rupture des canalisations de gaz provoque des incendies que les pompiers ne peuvent pas éteindre, car les conduites d'eau sont éventrées. Les lignes électriques sont coupées. Les principales voies d'accès sont impraticables et empêchent l'acheminement des premiers secours, ce qui augmente le nombre de victimes.

San Francisco (E.-U.), 1906.
Magnitude : 8,3 sur l'échelle de Richter.

L'incendie causé par le séisme se propagea dans la ville dévastée et l'anéantit complètement.

La secousse qui dévasta la ville de Kobe en 1995 dura 30 secondes.

À Kobe, les dégâts matériels furent impressionnants : voies ferrées complètement tordues, routes suspendues effondrées.

San Andrea sous haute surveillance

La Californie est à cheval sur deux plaques qui coulissent le long de la faille de San Andrea (A), qui mesure 1 100 km. Souvent, les deux bords de cette faille se coincent et provoquent un séisme en se disloquant. On sait qu'un gigantesque tremblement de terre, le Big One, aura bientôt lieu dans la région.

Mais quand exactement ? Nul ne le sait, car la prévision à court terme en matière de séismes reste incertaine : un tremblement de terre n'est pas toujours précédé de signes avant-coureurs manifestes. On tente donc de prévenir les dégâts que causerait un tel cataclysme : en construisant des immeubles parasismiques (B), capables de résister à de violentes secousses, en surveillant aussi de très près la faille de San Andrea (voir ci-dessous).

Les bords de la faille de San Andrea avancent de 6 cm par an. San Francisco et Los Angeles seront, un jour, réunies.

SAN FRANCISCO

Faille de San Andrea

LOS ANGELES

La tour Transamerica, à San Francisco, est bâtie sur de solides fondations dotées d'un système d'amortisseurs qui atténuent l'effet des secousses sismiques. Tous les murs (plafonds et cloisons) sont solidaires, ce qui empêche l'immeuble de s'effondrer comme un château de cartes.

Cet abri renferme un géodimètre à rayon laser qui mesure au millimètre près le moindre mouvement du sol à proximité de la faille de San Andrea. Le fonctionnement est simple : un rayon laser est envoyé sur des réflecteurs placés à des points stratégiques le long de la faille, puis renvoyé au géodimètre.

La ville d'Izmit, en Turquie, située à l'épicentre du séisme d'août 1999, fut gravement touchée.

Le terrible séisme de Turquie

Le 17 août 1999 à 3 heures du matin, une secousse de 6,9 sur l'échelle de Richter frappa le nord de la Turquie. Les bâtiments s'effondrèrent sur les gens endormis. Dans cette région, pourtant sujette aux séismes depuis 1939, beaucoup d'immeubles, même reconstruits après les précédentes secousses, ne bénéficiaient pas des normes parasismiques en vigueur ! 30 000 personnes périrent.

Les gestes qui sauvent

Dans les zones à risque sismique, on apprend aux gens à réagir en cas de séisme. Par exemple, dans les écoles (au Japon, mais aussi dans le sud-ouest des États-Unis et dans la région de Nice, en France), des exercices d'alerte ont lieu régulièrement. Chaises et pupitres sont vissés au sol pour plus de stabilité.

Secours : agir vite... et bien !

Après un tremblement de terre, il faut pouvoir dégager au plus vite les personnes prisonnières des décombres. C'est le travail des spécialistes en « sauvetage-déblaiement », un exercice extrêmement dangereux puisqu'il consiste à s'engager entre les plaques de béton pour atteindre les blessés sans que l'immeuble s'écroule un peu plus. Tout en déblayant, il faut donc consolider l'édifice ! Mais ce n'est pas tout : il faut aussi se tenir prêt à fuir à la moindre réplique du séisme. En effet, après chaque secousse sismique, des dizaines de répliques ont lieu. Leur intensité diminue peu à peu au fil des jours ou des semaines.

Les secouristes font appel à des chiens de décombres spécialement entraînés pour ce type de catastrophe (1). Ils utilisent un appareil photo à image thermique (2), qui permet de localiser les survivants grâce à la chaleur dégagée par leur corps, et des appareils acoustiques munis d'écouteurs et d'un micro (3).

LES ÉRUPTIONS VOLCANIQUES

La plupart se produisent à la limite des gigantesques plaques qui découpent l'écorce terrestre, quand le magma, issu des entrailles de la Terre, parvient à se frayer un passage jusqu'à la surface. Certaines sont effusives : la lave s'échappe du volcan en coulées fluides. D'autres sont explosives : ce sont les plus dangereuses. Aujourd'hui, les volcans montrant des signes d'activité sont surveillés en permanence par des volcanologues. S'il est désormais possible de prévoir quand aura lieu une éruption, on est en revanche toujours incapable d'évaluer sa durée et son intensité.

Le Japon : une zone à haut risque

Les éruptions les plus destructrices ont lieu dans les zones de subduction, là où les plaques tectoniques qui fracturent l'écorce terrestre se percutent et plongent les unes sous les autres. C'est le cas au Japon, victime des mouvements incessants de quatre grandes plaques.

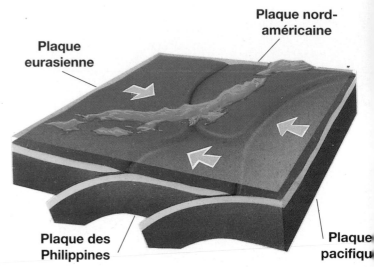

Plaque nord-américaine

Plaque eurasienne

Plaque des Philippines

Plaque pacifique

La plaque pacifique avance de 10 cm par an vers le Japon. C'est autour du Pacifique que l'on trouve les volcans les plus actifs.

Les coulées de lave

Elles causent des dégâts impressionnants mais se déplacent en général suffisamment lentement pour laisser aux populations le temps de s'enfuir. On peut aujourd'hui dévier une coulée de lave pour l'empêcher de détruire une zone habitée, comme cela a déjà été fait sur l'Etna, en Italie (ci-dessous).

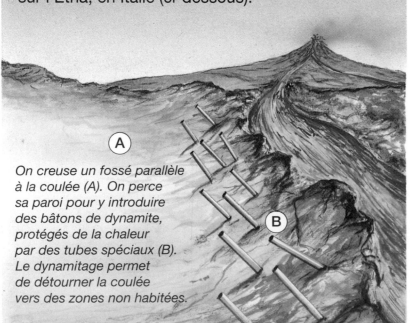

On creuse un fossé parallèle à la coulée (A). On perce sa paroi pour y introduire des bâtons de dynamite, protégés de la chaleur par des tubes spéciaux (B). Le dynamitage permet de détourner la coulée vers des zones non habitées.

La boue est composée de cendres volcaniques et d'eau durcies comme du ciment.

Les redoutables lahars

Ces coulées de boue se produisent lorsque des pluies d'orage se mêlent aux cendres volcaniques après une éruption. Parfois aussi, l'explosion d'un très haut volcan fait fondre la neige couronnant son sommet. Ce fut le cas en Colombie, en 1985. La ville d'Armero, située à 50 km en contrebas du volcan Nevado del Ruiz, fut engloutie par une vague de boue de plus de 20 m de haut ! 23 000 personnes périrent.

Nuit artificielle après l'éruption du Pinatubo en 1991.

Le climat perturbé

Une forte éruption de cendres peut plonger une région entière dans l'obscurité et perturber le climat (chute des températures. vents violents pluies...). Ce fut le cas en 1991 aux Philippines après l'éruption du volcan Pinatubo (ci-contre). Les particules volcaniques en suspension ont voilé le soleil et provoqué ce que l'on appelle une nuit artificielle. Parfois, c'est à l'échelle mondiale que le climat est perturbé : projetées très haut dans le ciel, les cendres atteignent la stratosphère et font le tour du globe.

Les nuées ardentes

Ce sont des avalanches de cendres et de gaz brûlants dont la température peut atteindre 1 200 °C et la vitesse 500 km/h ! Elles sont souvent provoquées par l'explosion du flanc d'un volcan. C'est ce qui s'est passé lors de l'éruption du mont Saint Helens, aux États-Unis, le 18 mai 1980. Des forêts entières ont été couchées par le souffle de l'explosion. Heureusement, la population avait été évacuée à temps. On ne déplora « que » 61 victimes.

Sinistre record

Les nuées ardentes sont les manifestations les plus meurtrières des éruptions volcaniques. Ainsi, en 1902, l'éruption de la montagne Pelée à la Martinique engendra une nuée ardente qui embrasa la ville de Saint-Pierre et fit 36 000 morts en deux minutes ! C'est aussi une nuée ardente qui tua les habitants de Pompéi en l'an 79 de notre ère.

LES CYCLONES

Ces tempêtes tropicales d'une rare violence naissent au-dessus des mers chaudes. La vapeur d'eau s'élève et forme des nuages qui se déploient en une spirale de vents tourbillonnants. Lorsqu'ils atteignent les côtes, les cyclones sont redoutables, car la force des vents (dont la vitesse peut atteindre 350 km/h) se mêle aux inondations. Les cyclones portent des noms différents suivant leur origine : ouragan (Antilles francophones, Amérique du Nord), typhon (Sud-Est asiatique), willy-willy (Australie). Le premier cyclone de l'année porte toujours un prénom commençant par la lettre A. Puis on suit l'ordre alphabétique.

Les zones de formation des cyclones

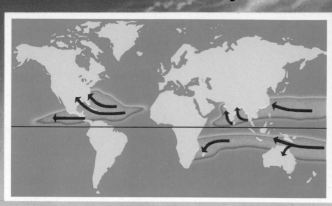

Les cyclones se forment au-dessus des mers tropicales quand la température de l'eau dépasse 26 °C. Ils peuvent parcourir des milliers de kilomètres et sévir pendant plusieurs semaines. Ils meurent dès qu'ils survolent des mers plus froides ou s'enfoncent à l'intérieur des terres, car c'est uniquement dans l'air chaud saturé d'eau qu'ils puisent leur énergie. Les cyclones surviennent de juin à novembre dans l'hémisphère Nord et de novembre à mai dans l'hémisphère Sud.

Gilbert, le redoutable

Le 12 septembre 1988, le cyclone Gilbert dévasta la Jamaïque et fit 260 morts. La vitesse des vents atteignit 325 km/h. Des vagues de 6 m de haut submergèrent l'île. On attribua à ce cyclone la force 5, le maximum sur l'échelle de Saffir-Simpson (échelle de classification des cyclones).

Maison équipée de « volets tempête ».

Les chasseurs de cyclones

Ces météorologues traversent les cyclones à bord d'avions blindés pour en mesurer l'intensité et les caractéristiques. Un exercice périlleux mais nécessaire pour améliorer la connaissance de ces phénomènes atmosphériques et lutter contre leurs effets catastrophiques.

L'air chaud et humide s'élève en formant une spirale. Dans l'œil descend de l'air sec et froid.

Anatomie d'un cyclone

Le cyclone est formé d'une zone calme, appelée l'œil, où le vent est faible et le ciel clair. Autour tournoient des vents violents qui forment le mur du cyclone. En raison de la rotation de la Terre, qui pivote vers l'est, ces vents sont déviés vers la droite dans l'hémisphère Nord (ils tournent dans le sens des aiguilles d'une montre) et vers la gauche dans l'hémisphère Sud. Un cyclone se déplace à une vitesse de 30 à 35 km/h. Son diamètre peut couvrir la superficie d'un pays comme la France !

En cas d'alerte, on conseille aux gens de fuir vers l'intérieur des terres après avoir attaché le plus d'objets possible : bateaux, voitures, camions. Les volets tempête empêchent le vent de s'engouffrer dans les maisons et d'arracher les toits par en dessous.

La surveillance des cyclones

Grâce aux satellites qui prennent des photos de la Terre et des nuages, on peut détecter un cyclone dès sa formation et suivre sa trajectoire afin d'alerter à temps les populations menacées. Hélas, dans les pays pauvres comme le Bangladesh, les autorités n'ont souvent pas les moyens d'évacuer la population, trop nombreuse. Difficile également d'alerter tout le monde : beaucoup de gens ne possèdent même pas de radio. Les victimes des cyclones se comptent alors par dizaines de milliers.

NO PARKING NO WRITING

LES TORNADES

Ces tourbillons de vent en forme d'entonnoir se déplacent très vite (entre 50 et 105 km/h !). D'une force inouïe, comparée à celle déjà prodigieuse des cyclones, ils aspirent tout sur leur passage, pans entiers de bâtiments, arbres, véhicules, bétail, êtres humains, avant de les rejeter quelques mètres plus loin. Ce sont les phénomènes atmosphériques les plus violents qui soient. Aucune région du monde n'est épargnée par les tornades. Aux États-Unis, elles se produisent souvent en série. Ainsi, en 1974, au cœur du pays, 148 tornades se succédèrent en 24 heures. On dénombra 315 morts et des milliers de sans-abri.

Naissance d'une tornade

Une tornade se développe au-dessus des terres à partir d'un nuage orageux. De l'air chaud est aspiré brutalement vers le haut. Il troue le nuage sur toute sa hauteur, créant une sorte de siphon dans lequel l'air provenant des couches supérieures de l'atmosphère s'engouffre en tourbillonnant (comme le fait l'eau lorsque l'on vide un lavabo). Lorsqu'elle touche le sol, la trompe de la tornade (ou tuba) agit à la manière d'un gigantesque aspirate

Vivre à Tornado Alley

Les États-Unis sont le pays le plus touché par les tornades (environ 700 par an). La plupart ont lieu dans une vaste plaine qui s'étend entre le Texas et l'Illinois, connue sous le nom de Tornado Alley (allée des tornades). Là-bas, les gens possèdent tous un abri anti-tornades dans leur jardin ; ils s'y réfugient à la moindre alerte.

Canada

États-Unis

Mexique

Une tornade se déplace par bonds, ce qui explique pourquoi certaines maisons sont épargnées et d'autres pas.

Un abri anti-tornades

14

De petit diamètre (entre 10 et 200 m), une tornade ne vit pas longtemps (de 5 à 20 min). Ses brusques changements de direction rendent la prévision difficile.

La vitesse des vents qui animent une tornade peut dépasser 500 km/h, d'où sa force phénoménale.

Les risques du métier

Certains chercheurs poursuivent les tornades à bord de véhicules pour mieux les étudier. Une fois la tornade devancée, ils ont environ 20 secondes pour installer sur son trajet une station météo portable hypersolide. Elle prendra diverses mesures au passage du tourbillon : vitesse des vents, etc.

Incroyable !

Des poulets plumés vifs par la force phénoménale des vents (ci-contre) ; des fétus de paille plantés comme des clous dans des murs en béton ; treize écoliers arrachés à leur cour de récréation et redéposés indemnes quelques kilomètres plus loin (Chine, 1986) : les tornades ont des effets pour le moins surprenants !

LES INONDATIONS

On parle d'inondation quand l'eau envahit une zone terrestre normalement sèche. Souvent, des pluies abondantes font déborder les cours d'eau, provoquant des crues. Les plus dangereuses sont les crues subites qui ont lieu après un violent orage. Dans certains pays d'Asie, des précipitations saisonnières, les pluies de mousson, inondent chaque année de vastes territoires. Mais les inondations les plus meurtrières sont dues aux cyclones. Soulevées par les vents, des vagues géantes, les raz de marée, déferlent sur les côtes, aggravant les dégâts causés par les pluies diluviennes.

À propos du Déluge

Dans la Bible, on raconte l'histoire d'une terrible inondation, le Déluge, qui recouvrit la Terre entière. Sur l'ordre de Dieu, un homme, Noé, construisit une arche (un vaisseau) pour sauver sa famille et les espèces animales.

Cette gravure du XIIᵉ siècle dépeint l'Arche de Noé.

On sait aujourd'hui, grâce à certaines découvertes archéologiques, qu'une inondation gigantesque a effectivement eu lieu vers 3200 av. J.-C. Due à une crue du fleuve Euphrate, en Mésopotami (Irak actuel), elle fut si étendue que les habitants purent croire qu'elle avait englouti toute la Terre. Pour beaucoup d'historiens, cette inondation serait à l'origin de l'histoire de l'Arche de Noé.

Inondation éclair

En juillet 1996, au Québec, à la suite de pluies diluviennes, la rivière Ha ! Ha !, qui traverse la ville de La Baie, a connu sa crue la plus importante du siècle. En un jour, il est tombé l'équivalent de cinq mois de pluie. Sous la pression de l'eau, plusieurs ponts ont été emportés et une digue a cédé. La ville a été presque entièrement détruite. Par endroits, l'eau a atteint 6 m de haut en quelques heures.

Lors de la pénible inondation de 1996 dans la ville de La Baie, au Québec on ne déplora « que » 6 victimes (mais des milliers de sans-abri) grâce à l'évacuation très efficace des habitants par 14 hélicoptères qui se sont relayés sans cesse.

Les barrages

Ils permettent de contrôler les crues des cours d'eau. Il en existe plusieurs sortes. L'énorme « barrage-voûte » (ci-contre) a une forme courbée pour supporter la pression de l'eau, considérable. En cas de pluies abondantes, il fait office de réservoir, retenant le trop-plein d'eau, qu'il relâche progressivement, de manière à éviter une inondation. Il arrive cependant que des barrages cèdent sous le poids de l'eau, provoquant de véritables catastrophes.

Un fléau nécessaire

En Inde, la mousson, un vent chaud saisonnier, apporte chaque année des pluies torrentielles. Elles s'abattent sur le pays pendant l'été et durent environ trois mois, inondant les villes et les campagnes. Ce fléau est pourtant très attendu, car il apporte l'eau indispensable aux cultures de riz. En effet, cette céréale, qui constitue la base de l'alimentation, ne pousse qu'en terrain inondé.

Quand le Mississippi déborde

Long de 3 780 km, ce fleuve connaît une crue importante environ tous les cinq ans. Comme sa pente est très faible, l'eau a tendance à s'étaler. Elle recouvre les plaines alentour sur une vaste superficie et monte de ce fait très lentement, ce qui laisse le temps aux populations de quitter leurs maisons. En revanche, les dégâts sont considérables et des milliers de personnes se retrouvent sans abri.

Le terrain en pente et les rues étroites de la ville ont multiplié par 10 la force de l'eau, la transformant en un véritable torrent déchaîné qui a tout emporté sur son passage : ponts, maisons, voitures...

Le tsunami de Honshu

Le 15 juin 1996, de nombreux Japonais s'étaient rassemblés sur la côte nord de l'île de Honshu pour célébrer une cérémonie traditionnelle shintoïste. À un moment, une légère secousse sismique se fit sentir, mais peu de gens y prêtèrent attention.

Une heure après le début de la fête, la mer se retira brusquement sur plusieurs centaines de mètres, laissant les poissons frétiller sur la grève. Interloquée, la foule se massa sur le rivage. Vingt minutes s'écoulèrent.

Soudain, un gigantesque mur d'eau de plus de 20 m de haut s'abattit sur la côte (image ci-dessous). Il engloutit 270 km de littoral et noya 28 000 personnes. Provoqué par un séisme sous-marin, ce tsunami fut l'un des plus terribles de l'Histoire.

Comment se forme un tsunami ?

Un tsunami n'a pas la même origine que les raz de marée suscités par le passage d'un cyclone. Il est provoqué par l'ébranlement du plancher océanique à la suite d'une éruption volcanique, d'un séisme ou d'un glissement de terrain. L'eau brutalement secouée crée une onde qui se propage à travers l'océan à plus de 700 km/h et gagne les côtes sous la forme d'une gigantesque vague pouvant atteindre la hauteur d'un immeuble de 15 étages. Sur la côte, le premier signe d'un tsunami est souvent un reflux massif des eaux.

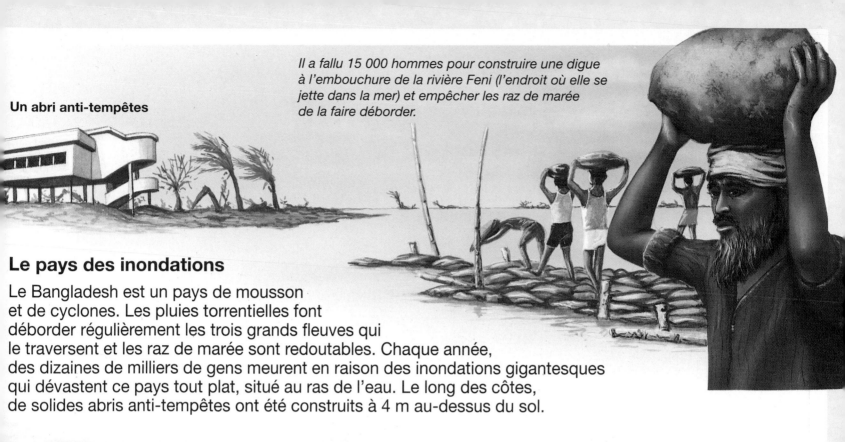

Il a fallu 15 000 hommes pour construire une digue à l'embouchure de la rivière Feni (l'endroit où elle se jette dans la mer) et empêcher les raz de marée de la faire déborder.

Un abri anti-tempêtes

Le pays des inondations

Le Bangladesh est un pays de mousson et de cyclones. Les pluies torrentielles font déborder régulièrement les trois grands fleuves qui le traversent et les raz de marée sont redoutables. Chaque année, des dizaines de milliers de gens meurent en raison des inondations gigantesques qui dévastent ce pays tout plat, situé au ras de l'eau. Le long des côtes, de solides abris anti-tempêtes ont été construits à 4 m au-dessus du sol.

La protection contre les tsunamis

Elle implique une surveillance permanente des fonds sous-marins grâce notamment aux sismographes, appareils détectant le moindre mouvement du plancher océanique.

Sujet à des risques sismiques et volcaniques importants, l'océan Pacifique est particulièrement surveillé. La carte d'alerte anti-tsunamis (ci-contre) indique la durée du trajet qu'effectuerait un tsunami déclenché à tel endroit du Pacifique pour atteindre Tokyo, Valparaiso, San Francisco ou Kodiak.

Kodiak
6 heures
Tokyo
San Francisco
5 heures
8 heures
Valparaiso
12 heures
Océan Pacifique

LA SÉCHERESSE

Quand il ne pleut pas pendant une longue période, les réserves d'eau s'épuisent et la terre se dessèche. C'est la sécheresse. Elle est due en grande partie à des facteurs naturels (anomalies climatiques, variations de l'activité solaire...) mais est souvent aggravée par l'homme. Elle sévit un peu partout dans le monde. Elle est cependant beaucoup plus redoutable dans les régions déjà arides en temps normal. Pour la prévenir, il faut stocker l'eau et l'économiser.
Le problème n'est pas simple : au Sahel, par exemple, il y a de l'eau dans le sous-sol, mais, pour y parvenir, il faudrait creuser des puits de 50 à 100 m de profondeur.

La tragédie du Sahel

Situé en bordure du Sahara, le Sahel couvre un cinquième du continent africain. De 1968 à 1975, une terrible sécheresse frappa cette région. La terre devint sèche, puis poussiéreuse. Les cultures dépérirent et le bétail mourut. Une terrible famine s'ensuivit. Plus de 500 000 personnes périrent.

Comment s'est formé le « désert de poussière » ?

De 1931 à 1938, les États-Unis connurent une des plus graves sécheresses de leur histoire. La grande prairie verdoyante du Middle West se transforma peu à peu en un véritable désert, que l'on baptisa le désert de poussière. Les fermiers qui vivaient dans la région furent obligés de quitter les lieux, abandonnant tous leurs biens.

La sécheresse transforma en poussière des milliers de tonnes de terre fertile, qui fut emportée par le vent sous la forme de rouleaux.

Des solutions toutes simples

Aujourd'hui, plus de dix pays d'Afrique sont menacés par la sécheresse. Or, la grande majorité des populations vit de l'agriculture. Au Burkina Faso, situé en bordure du Sahara, les fermiers construisent de petits barrages de terre pour retenir les rares eaux de pluie. Des arbres sont plantés pour les protéger et empêcher l'avancée du désert. Leurs racines, en effet, stabilisent le sol et l'empêchent de se transformer en poussière. D'autre part, les arbres sont de grands pourvoyeurs d'humidité.

Au Sahel, le surpâturage, la culture intensive de terres déjà arides et l'abattage des arbres ont accentué le problème de la sécheresse et provoqué l'avancée du désert.

Les bovins ont besoin de 30 l d'eau par jour.

Le feu

Il se propage aisément en période de sécheresse et dévore d'immenses surfaces. Les forêts sont particulièrement touchées, car le feu trouve là un excellent combustible, le bois. En Californie, quand les Canadair ne suffisent plus à éteindre un incendie de forêt, on envoie des « smoke jumpers » (littéralement : sauteurs dans la fumée) par hélicoptère au cœur de la fournaise. Entraînés comme des Marines, considérés comme des héros, ces hommes vont combattre le feu directement. Leur action s'avère souvent très efficace.

21

LES AVALANCHES

Ce sont d'énormes masses de neige qui dévalent des flancs des montagnes. Leur vitesse dépend de l'altitude à laquelle elles se déclenchent, de la consistance de la neige et de l'inclinaison des pentes. Certaines emportent tout sur leur passage (rochers, troncs d'arbre...), dévastent des villages entiers et coupent les voies d'accès en effaçant les routes et les voies ferrées. Le plus souvent, elles ont lieu après un redoux des températures, des vents forts ou des chutes de neige abondantes qui déstabilisent le manteau neigeux. Le simple passage d'un skieur suffit alors à les déclencher.

Attention, danger !

Chaque année, dans le monde, les avalanches font de nombreuses victimes. En 1962, au Pérou, l'avalanche du mont Huarascan causa à elle seule la mort de 3 500 personnes et engloutit huit villages, certains sous plus de 20 m de neige. Dans les Alpes (ci-dessous), les principales victimes des avalanches sont les skieurs. Aussi, dans un but de prévention, leur conseille-t-on toujours de consulter la météo avant de partir et d'éviter certains endroits.

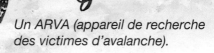

Un appareil utile

En France, on recommande aux skieurs de fond et à ceux qui pratiquent le hors-piste de se munir d'un ARVA. Ce petit poste émetteur-récepteur, d'une portée de 30 m, permet d'être localisé facilement ou de repérer une victime.

Un ARVA (appareil de recherche des victimes d'avalanche).

L'avalanche de plaque

Redoutable car imprévisible, elle a lieu quand un énorme panneau de neige solide d'une épaisseur de 30 cm à plus de 2 m se détache du flanc d'une montagne.

L'avalanche de fonte

Elle se produit toujours après un réchauffement des températures. Cette immense coulée de neige fondue de consistance pâteuse se déplace entre 30 et 50 km/h. Sa trajectoire est généralement sans surprise.

L'avalanche de neige poudreuse

Elle se déplace sous la forme d'un gigantesque nuage d'air et de neige récente, très légère, dont la vitesse peut atteindre 400 km/h. Son souffle puissant ravage forêts et villages. Les skieurs se trouvant sur son passage meurent souvent noyés par asphyxie.

Les secours

Les chances de survie d'une victime d'avalanche dépendent de la profondeur d'ensevelissement, du type de neige et de la rapidité des secours. D'énormes moyens sont mis en œuvre pour retrouver et dégager au plus vite les survivants (hélicoptère, maîtres-chiens, CRS de montagne, pisteurs-secouristes, pompiers, médecins, bénévoles). Munies de sondes, longues perches de 4 à 6 m de haut, des équipes de sondeurs parcourent en rangs serrés le lieu où ont été vues les victimes pour la dernière fois.

Grâce à son odorat, le chien d'avalanche est très efficace pour retrouver les victimes ensevelies. Il peut explorer un hectare en une demi-heure. Dès qu'il a repéré quelqu'un, il marque un temps d'arrêt et commence à gratter la neige pour avertir son maître.

Que faire ?

Contre les effets dévastateurs des avalanches, la protection des zones habitées est nécessaire. Divers ouvrages y contribuent : panneaux vire-vent placés sur les crêtes qui perturbent l'action du vent et modifient le dépôt de neige (1), râteliers placés sur les pentes qui fragmentent les plaques de neige en morceaux plus petits et réduisent la portée de l'avalanche (2), coins freineurs qui brisent son élan (3), tunnels protégeant les routes (4).
Si le risque d'avalanche est vraiment très élevé, la population est évacuée et l'accès aux pistes est interdit. On déclenche alors l'avalanche artificiellement avec des explosifs.

Sur les pistes, des panneaux ou des drapeaux avertissent les skieurs du risque d'avalanches...

La plantation d'arbres ralentit le flot de neige.

ÉPIDÉMIES ET INVASIONS D'ESPÈCES VIVANTES

Certains êtres vivants sont à l'origine de calamités. La prolifération d'insectes ou d'oiseaux qui dévorent les cultures engendre parfois de terribles famines dans les pays pauvres. Invisibles, mais encore plus redoutables, des microbes provoquent de graves épidémies en contaminant un grand nombre de personnes. De nos jours, l'augmentation de la population mondiale et sa concentration dans les villes multiplient les risques d'infection. Le développement des transports aériens facilite leur propagation. Ainsi, le sida, maladie mortelle transmissible par le sang, s'est répandu dans le monde.

Le paludisme

Cette maladie contagieuse provoque une forte fièvre qui peut entraîner la mort. Elle est due à un parasite, le *plasmodium*, transmis par la piqûre de certains moustiques, et sévit dans les pays tropicaux. On a cru à une époque l'épidémie enrayée, mais le parasite est devenu résistant aux médicaments et les moustiques ne sont plus tués par les insecticides, y compris le DDT ! Ces dernières années, l'épidémie s'est donc répandue en Afrique, en Asie et en Amérique du Sud, faisant des millions de morts. Pour la stopper, on tente aujourd'hui de revenir à des méthodes toutes simples, notamment en traquant les larves de moustique dans les marais et les eaux stagnantes où elles prolifèrent (image ci-dessus).

Fléau des cultures

Dans certains pays chauds, principalement en Afrique et en Asie, il arrive que les criquets, d'habitude solitaires, se regroupent en essaims gigantesques de 150 à 300 millions d'individus et parcourent des milliers de kilomètres à la recherche de nourriture. Ils peuvent détruire en vingt jours toutes les récoltes d'un pays ! Parfois, les espèces s'associent, comme les criquets pèlerins et les criquets migrateurs. Aucune végétation n'est alors épargnée : la nourriture délaissée par les uns fait le bonheur des autres ! Pour les combattre, seule la pulvérisation d'insecticides par avion est efficace. La surveillance par satellite des sites de ponte et des formations d'essaims constitue un excellent outil de prévention.

La Peste noire

La peste, maladie mortelle très contagieuse, est due au bacille de Yersin, un microbe transmis à l'homme par la puce des rats. Elle se manifeste principalement sous la forme de plaques enflées qui recouvrent le corps des malades, provoquant une fièvre élevée. L'hiver, elle s'attaque aux poumons. La plus grande épidémie de notre histoire, baptisée Peste noire, eut lieu au Moyen Âge entre 1334 et 1351. Partie de Crimée, en Asie centrale, elle gagna la Sicile en 1347, puis le port de Marseille, en France, par l'intermédiaire des rats qui se trouvaient à bord des navires venus d'Orient. Rapidement, elle se propagea dans toute l'Europe. Pendant plus d'un siècle, elle disparut puis réapparut par poussées. Des pays comme la France, l'Italie ou l'Angleterre furent particulièrement touchés. Le tiers de la population de l'Europe fut décimé. Aujourd'hui, la peste menace encore certains pays pauvres. La prévention passe par la vaccination et la lutte contre les rats et leurs puces, qui véhiculent la maladie.

En France, au Moyen Âge, la Peste noire tua 8 millions de personnes, soit la moitié de la population du pays ! Les cimetières étant pleins, on dut ensevelir les morts dans des fosses communes.

D'AUTRES FLÉAUX

Menace extraterrestre

Des astéroïdes, fragments rocheux venus de l'espace, percutent quelquefois notre planète. On les appelle des météorites. Certaines pèsent plusieurs centaines de milliers de tonnes, mais heureusement ce sont les plus rares. C'est peut-être la chute d'un tel objet qui a provoqué la disparition des dinosaures il y a 65 millions d'années. Les scientifiques approuvent de plus en plus cette thèse à la suite de deux découvertes : celle en 1979, sur l'ensemble de notre planète, d'une fine couche d'iridium, un élément qui compose les météorites, puis celle en 1990, dans le sud du Mexique, d'un énorme cratère de 180 km de large formé de quartz choqué (grains de sable fracturés par un impact). En s'écrasant sur le sol, la météorite géante aurait projeté très haut dans le ciel un gigantesque nuage de poussières. Poussé par les vents, il aurait fait le tour du globe, voilant le Soleil, source de vie.

Comment nous protéger ?

Des centaines d'énormes astéroïdes rôdent autour de notre planète. Si l'un d'entre eux nous menace un jour, on peut aujourd'hui « essayer », précisent les scientifiques, de le détruire ou de dévier sa trajectoire à l'aide de charges nucléaires tirées à partir de fusées.

Le cratère Météore

C'est une météorite de près de 100 000 tonnes qui a creusé cet énorme cratère aux États-Unis (Arizona) il y a au moins 50 000 ans. Il fait 1,2 km de diamètre (soit environ la surface de 220 stades de foot !) et est profond de 175 m.

Ouf !

En 1990, un astéroïde de 10 000 tonnes qui fonçait droit sur la Terre a explosé et s'est désintégré dans l'atmosphère, au-dessus de l'océan Pacifique.

Les caprices d'El Niño

En temps normal, les côtes du Pérou sont longées par un courant froid animé par des vents réguliers, les alizés. Il arrive que la direction de ces vents s'inverse, car l'anticyclone (masse d'air froid et sec) qui se trouve au-dessus de l'est du Pacifique se déplace mystérieusement vers l'ouest. Un courant chaud arrive alors sur les côtes du Pérou, augmentant la température de l'eau de 4 à 6 °C. On l'appelle El Niño (l'enfant Jésus), car il apparaît souvent vers Noël. Comme les courants exercent une influence sur les climats de notre planète, un peu partout dans le monde le temps se détraque. Ainsi, en 1983, l'Inde manqua d'eau en pleine saison des pluies, le sud de l'Afrique connut une terrible sécheresse, de même que l'Australie, ravagée par de nombreux incendies (A). De violents cyclones dévastèrent la Polynésie, habituellement épargnée (B), et la Californie. En Colombie, des pluies diluviennes provoquèrent de graves inondations (C).

Année normale
Année El Niño

Quand la grêle tue

Redoutables pour les cultures, les averses de grêle deviennent meurtrières lorsque les grêlons atteignent un certain poids. Ainsi, en 1986, au Bangladesh, une averse de grêlons de 750 g à 1 kg a tué 96 personnes.

Ce grêlon est tombé au Kansas (États-Unis) en 1970. Il pesait 800 g.

Les glissements de terrain

Lorsque des roches ou de la terre à la surface d'une pente sont déstabilisées, il se produit un glissement de terrain. Ces phénomènes sont souvent provoqués par de fortes pluies, car le sol, saturé d'eau, perd de sa cohésion. Ce problème est encore plus grave dans les régions fortement déboisées parce que la végétation n'absorbe plus l'excédent d'eau et les racines ne retiennent plus le sol. Les séismes, les éruptions volcaniques, l'érosion naturelle sont également responsables de nombreux glissements de terrain.

Au Chili, à cause des inondations, le sol s'est dérobé sous ces habitations.

TABLE DES MATIÈRES

ISBN : 2-215-063-31-9
© Éditions Fleurus, 2000.
Conforme à la loi n°49-956 du
16 juillet 1949 sur les publications
destinées à la jeunesse.
Dépôt légal à date de parution.
Imprimé en Italie (08-2000).